中华人民共和国电力行业标准

电力工程厂站内通信光缆设计规程

Code for design of communication optical cable in substation and power plant of electric engineering

DL/T 5518—2016

主编部门：电力规划设计总院
批准部门：国 家 能 源 局
施行日期：2 0 1 7 年 5 月 1 日

中国计划出版社

2016 北 京

国家能源局

公告

2016年　第9号

依据《国家能源局关于印发〈能源领域行业标准化管理办法（试行）〉及实施细则的通知》（国能局科技〔2009〕52号）有关规定，经审查，国家能源局批准《煤层气集输设计规范》等373项行业标准，其中能源标准（NB）66项、能源/石化标准（NB/SH）29项、电力标准（DL）111项、石油标准（SY）167项，现予以发布。

上述标准中煤层气、生物液体燃料、电力、电器装备领域标准由中国电力出版社出版发行，煤制燃料领域标准由化学工业出版社出版发行，煤炭领域标准由煤炭工业出版社出版发行，石油天然气领域标准由石油工业出版社出版发行，石化领域标准由中国石化出版社出版发行，锅炉压力容器标准由新华出版社出版发行。

附件：行业标准目录

国家能源局

2016年12月5日

附件：

行业标准目录

序号	标准编号	标准名称	代替标准	采标号	批准日期	实施日期
……						
167	DL/T 5518—2016	电力工程厂站内通信光缆设计规程			2016-12-05	2017-05-01
……						

前　言

根据《国家能源局关于下达2013年第一批能源领域行业标准制（修）订计划的通知》（国能科技〔2013〕235号）的要求，标准编制组经调查研究，认真总结我国厂站内光缆设计、施工和运行经验，参考有关国际标准和国内标准，并在广泛征求意见的基础上，制定本标准。

本标准主要技术内容是：总则、术语、光缆选择、光缆附件、预制光缆、光缆敷设、光缆标识、光缆防护。

本标准由国家能源局负责管理，由电力规划设计总院提出，由能源行业电网设计标准化技术委员会负责日常管理，由河南省电力勘测设计院负责具体技术内容的解释。执行过程中如有意见或建议，请寄送电力规划设计总院（地址：北京市西城区安德路65号，邮政编码：100120）。

本标准主编单位、参编单位、主要起草人和主要审查人：

主编单位：河南省电力勘测设计院

参编单位：浙江省电力设计院有限公司
国网北京经济技术研究院

主要起草人：陈　萍　曹志民　张继军　耿建风　万　红
宋璇坤　钱　锋　吴　蕾　于广耀　黄晓博
张晓慧　孙广强　胡　鑫　翟健帆　闫培丽
肖智宏　吴聪颖　杨卫星　江香云　刘宏波
毛　婕　方显业　陈　荧

主要审查人：黄晓莉　夏小萌　陈新南　邓小玉　谷松林
韩顺实　林正华　陈　跃　程细海　李　苇
薛勇兴　刘　涛　蒲　皓　金志民　王根华
鲁丽娟　陈旭海　张光弢

目　　次

Contents

1 总　　则

1.0.1　为了适应电力工程自动化技术发展，使厂站内光缆设计做到技术先进、经济合理、安全适用、便于施工和维护，制定本标准。

1.0.2　本标准适用于发电厂、变电站、换流站等厂站内光缆的选择与敷设的设计。

1.0.3　本标准规定了光缆及其附件的选择、配置原则，给出了敷设、安装的方法。

1.0.4　光缆的设计应从实际出发，在保证运行可靠的基础上，积极稳妥地采用新技术、新材料、新工艺。

1.0.5　电力工程厂站内光缆设计除应符合本标准的规定外，尚应符合国家现行有关标准的规定。

2 术　　语

2.0.1 预制光缆　prefabricate optic cable

一端或两端均预制连接器的光缆。

2.0.2 光纤活动连接器　optical connector

用以稳定地、可拆卸地连接两根或多根光纤的无源组件。将光纤的两个端面精密对接起来，使发射光纤（设备）的光能量最大限度地耦合到接收光纤（设备）中，以便对系统造成的影响最小化。

2.0.3 多芯连接器　multi-fiber cable connector

一种多芯集成于同一插头/插座、可快速连接分离、能耐受恶劣环境、高可靠性的光缆活动连接器。

2.0.4 跳线　optical fiber jumper

屏柜内两端都带有光纤活动连接器插头的光缆组件。

2.0.5 尾纤　pigtail

屏柜内一端带有光纤活动连接器插头的光缆组件。

2.0.6 集中转接柜　concentrated adapter connection

用于大量光缆、电缆的成端、转接和分配，可方便地实现光纤线路的连接、分配的屏柜。

3 光缆选择

3.1 一般规定

3.1.1 两端设备在同一屏柜内时，宜采用光纤跳线连接；在相邻或同一房间的不同屏柜内时，宜采用双端预制的室内光缆连接；在距离较远的不同房间内或一端及以上为户外时，应采用室外光缆连接。

3.1.2 厂站内光缆宜采用多模光缆，也可采用单模光缆。厂站内多模光缆宜采用 G.651 类，A1b(62.5/125μm)渐变型多模光纤。波长宜采用 1300nm，也可采用 850nm，波长 1300±20nm 的光纤衰减系数应不大于 1.0dB/km，波长 850±10nm 的光纤衰减系数应不大于 3.5dB/km。

3.1.3 厂站内单模光缆宜采用 G.652 类，B1(9/125μm)非色散位移型单模光纤。1310nm 和 1550nm 光纤衰减系数应分别不大于 0.36dB/km 和不大于 0.22dB/km，1285nm～1330nm 波长范围内的衰减值不应超过 0.05dB/km，1525nm～1575nm 波长范围内的衰减值不应超过 0.05dB/km。

3.1.4 成缆光纤的衰减应符合现行国家标准《光缆总规范　第 1 部分：总则》GB/T 7424.1 的有关规定。光纤熔接衰减双向平均值宜不大于每个接头 0.05dB；光纤的活动接头损耗宜不大于每个接头 0.5dB。光模块的发射功率和接收灵敏度应符合现行行业标准《用于光纤通道的光收发模块技术条件》YD/T 2005 的有关规定。

3.1.5 光缆的使用环境温度：－25℃～＋55℃（室内）；－40℃～＋85℃（室外）。

3.1.6 光缆应符合现行国家标准《光缆总规范　第 2 部分：光缆

基本试验方法》GB/T 7424.2 的有关规定。光缆应根据敷设的环境满足防潮耐湿、阻燃、防鼠咬、抗压、抗拉要求。

3.2 光缆选型

3.2.1 保护通道光缆应采用无金属、阻燃光缆。

3.2.2 敷设在室外的光缆宜采用非金属加强构件、层绞填充式阻燃室外光缆。当光缆直接敷设在电缆沟内支架上时，可采用金属铠装光缆或加防护措施的非金属光缆。

3.2.3 敷设在室内的光缆宜采用非金属加强构件、室内多芯分支光缆。

3.2.4 光跳线用光缆宜采用非金属加强构件、室内单芯或双芯光缆。

3.2.5 室内外光缆护套宜采用低烟无卤材料，其性能应符合现行行业标准《通信电缆光缆用无卤低烟阻燃材料》YD/T 1113 的有关规定。

3.2.6 室外光缆的机械性能应符合现行行业标准《层绞式通信用室外光缆》YD/T 901 的有关规定。室外光缆允许承受的拉伸力和压扁力应符合表 3.2.6 的规定。

表 3.2.6 室外光缆允许承受的拉伸力和压扁力

室外光缆	允许拉伸力（最小值）(N)		允许压扁力（最小值）(N/100mm)	
	F_{ST}	F_{LT}	F_{SC}	F_{LC}
	1500	600	1000	300

注：1 F_{ST}为短期拉伸力，F_{LT}为长期拉伸力；

2 F_{SC}为短期压扁力，F_{LC}为长期压扁力。

3.2.7 室内多芯光缆的机械性能应符合现行行业标准《室内光缆系列 第 4 部分：多芯光缆》YD/T 1258.4 的有关规定。室内光缆允许承受的拉伸力和压扁力应符合表 3.2.7 的规定。

表 3.2.7 室内光缆允许承受的拉伸力和压扁力

<table>
<tr><td rowspan="2">室内光缆</td><td colspan="2">允许拉伸力
（最小值）(N)</td><td colspan="2">允许压扁力
（最小值）(N/100mm)</td></tr>
<tr><td>F_{ST}</td><td>F_{LT}</td><td>F_{SC}</td><td>F_{LC}</td></tr>
<tr><td></td><td>440</td><td>130</td><td>1000</td><td>200</td></tr>
</table>

注：1 F_{ST}为短期拉伸力，F_{LT}为长期拉伸力；

2 F_{SC}为短期压扁力，F_{LC}为长期压扁力。

3.2.8 光跳线用光缆的机械性能应符合现行行业标准《室内光缆系列 第2部分：终端光缆组件用单芯和双芯光缆》YD/T 1258.2的有关规定。光跳线用光缆允许承受的拉伸力和压扁力应符合表3.2.8的规定。

表 3.2.8 光跳线用光缆允许承受的拉伸力和压扁力

<table>
<tr><td rowspan="2">光跳线用光缆</td><td colspan="2">允许拉伸力
（最小值）(N)</td><td colspan="2">允许压扁力
（最小值）(N/100mm)</td></tr>
<tr><td>F_{ST}</td><td>F_{LT}</td><td>F_{SC}</td><td>F_{LC}</td></tr>
<tr><td></td><td>100</td><td>60</td><td>500</td><td>100</td></tr>
</table>

注：1 F_{ST}为短期拉伸力，F_{LT}为长期拉伸力；

2 F_{SC}为短期压扁力，F_{LC}为长期压扁力；

3 表中为单芯光缆参数，双芯光缆为单芯光缆拉伸力的1.5倍。

3.3 光缆配置

3.3.1 冗余配置的设备光缆应相互独立。

3.3.2 光缆宜减少根数，同一间隔内不同设备可共用1根光缆。

3.3.3 光缆芯数应满足终期及备用要求，可采用4芯、8芯、12芯、24芯、36芯、48芯。备用芯不宜少于光缆芯数的20%，且不应少于2芯。

3.3.4 光缆备用芯宜熔接在光纤配线单元上。12芯及以下光缆应熔接在同一层，24芯及以上光缆宜熔接在相邻层。

3.3.5 光纤配线单元宜按间隔配置。屏柜内布置有双重化的保护等设备时，光纤配线单元应按双重化配置。

3.3.6 可设置集中光缆转接屏柜，柜内配置的光纤配线单元不宜超过柜内空间的4/5。

4 光缆附件

4.1 一般规定

4.1.1 光缆选用的端接器件应通过该端接器与光缆连成整体的测试。

4.1.2 光缆附件使用环境温度宜为：－25℃～＋55℃（室内），－40℃～＋85℃（室外）。

4.1.3 光缆附件使用寿命应达到25年以上。

4.1.4 光缆附件防护等级室内安装时应达到IP42，室外安装时应达到IP54。

4.1.5 光缆附件应与光缆布线路径匹配，保持布线整齐、连接可靠。

4.2 选型与配置

4.2.1 光纤配线单元应符合现行行业标准《光纤配线架》YD/T 778的规定。

4.2.2 光纤终端盒应符合现行行业标准《光纤终端盒》YD/T 925标准。

4.2.3 光纤活动连接器应符合现行行业标准《光纤活动连接器》YD/T 1272的规定。

4.2.4 光缆根数较多或屏柜纤芯数较多时，宜采用模块化光纤配线单元；光缆纤芯数较少或光纤配线单元布置不便时，也可采用光纤终端盒。

4.2.5 光纤配线单元接入光缆纤芯总数不宜多于96芯。

4.2.6 光纤配线单元宜采用标准机架安装，方便取出与固定。

4.2.7 光纤配线单元及光缆终端盒不宜安装在屏柜内、外门上的活动部位。

4.2.8 屏柜内同时接入单模和多模光缆时，光纤配线单元应分别布置。

4.2.9 大量光缆转接宜采用集中转接柜或光纤配线架，集中转接柜或光纤配线架应有足够的光缆引入空间及固定位置，内部装配应具有一致性和互换性。

4.2.10 多模尾纤、光跳线用光纤活动连接器宜采用 LC 型或 ST 型。保护通道用单模光缆宜采用 FC 型活动连接器。

4.2.11 屏柜内光缆宜采用储纤盒、光纤保护管、光缆分歧器、扎带等进行收纳、固定、保护。

4.2.12 屏柜根据需要宜选择抽屉式、绕纤筒式、盒式储纤盒或几种形式的组合用于光纤余长收纳。

5 预制光缆

5.1 一般规定

5.1.1 根据使用环境和安装位置，宜分别选用相应形式的预制光缆组件。室内屏柜内部预制光缆宜采用单芯跳线形式。室内屏柜间预制光缆宜采用多芯尾缆形式。

5.1.2 预制光缆芯数宜选用4芯、8芯、12芯、24芯。

5.1.3 预制光缆组件整体应满足25年以上使用寿命。

5.2 预制光缆选型

5.2.1 预制光缆组件宜采用集成化、小型化连接器，在同一个链路方向的插头内宜集成更多的芯数。

5.2.2 满足以下条件时，室外预制光缆宜采用双端预制形式：

1 就地控制柜至室内屏柜的光缆敷设路径总长度可精确测量；

2 光缆余长有足够的收纳空间。

5.2.3 室外预制光缆采用穿管敷设时可采用单端预制。

5.2.4 预制光缆的配套光缆选型应满足本标准第3章的要求。室外预制光缆宜选用非金属铠装外护层。

5.2.5 室外预制光缆的插头、插座应配置防护盖。

5.2.6 预制光缆应有光缆编号、长度等明晰标志。在尾纤靠近光纤活动插头端应有线号标识。

5.2.7 预制光缆安装板在柜内宜和柜门及柜边保持适当距离，应满足光缆安装弯曲半径的要求。

5.2.8 预制光缆多芯连接器的基本性能应满足表5.2.8的要求。

表 5.2.8　预制光缆多芯连接器基本性能要求

<table>
<tr><th>性能指标</th><th colspan="4">性 能 参 数</th></tr>
<tr><td rowspan="2">插入损耗(dB)</td><td>4 芯</td><td>8 芯</td><td>12 芯</td><td>24 芯</td></tr>
<tr><td colspan="2">≤0.6(最大值)
≤0.4(典型值)</td><td colspan="2">≤0.8(最大值)
≤0.6(典型值)</td></tr>
<tr><td>回波损耗(dB)</td><td colspan="4">≥40(仅限单模)</td></tr>
<tr><td>机械寿命(次)</td><td colspan="4">≥500</td></tr>
<tr><td>振动参数</td><td colspan="4">10Hz～500Hz,加速度 98m/s²</td></tr>
<tr><td>冲击参数</td><td colspan="4">980m/s²</td></tr>
<tr><td>工作温度(℃)</td><td colspan="4">－40℃～＋85℃</td></tr>
<tr><td>湿热</td><td colspan="4">温度:＋30℃～＋60±2℃,湿度 90％～95％,持续时间 4d</td></tr>
<tr><td>抗拉力(N)</td><td colspan="4">≥720(插头)</td></tr>
<tr><td>产品防护等级</td><td colspan="4">IP67(用于室外),IP55(用于室内)</td></tr>
<tr><td rowspan="3">盐雾</td><td>铝合金镀镍</td><td colspan="3">96h</td></tr>
<tr><td>铜合金镀镍</td><td colspan="3">720h</td></tr>
<tr><td>不锈钢钝化</td><td colspan="3">1000h</td></tr>
</table>

6 光缆敷设

6.1 一般规定

6.1.1 光缆的路径选择应符合下列规定：

1 在满足安全要求的条件下，宜优化光缆路径；

2 应合理规划室内的光缆出入口位置及数量，避免局部区域光缆过度拥挤；

3 应便于敷设、维护。

6.1.2 在任何敷设方式下，光缆允许的最小弯曲半径均应满足表6.1.2的要求。

表 6.1.2 光缆允许的最小弯曲半径

外护层形式	无外护层	带铠
静态弯曲半径	10D	15D
动态弯曲半径	20D	30D

注：D 为光缆直径。

施工过程中不同外护层形式的光缆弯曲半径不应小于表6.1.2中的动态弯曲半径，定位时弯曲半径不应小于表6.1.2中的静态弯曲半径。

6.1.3 光缆明敷应设置适当固定的部位，并应符合下列规定：

1 水平敷设应设置在光缆线路首、末端和转弯处以及接头的两侧，宜在直线段每隔不少于100m处；

2 垂直敷设应设置在上、下端和中间适当数量位置处，宜在直线段每隔2m处；

3 光缆应排线整齐，避免相互纠缠，捆扎固定处应有明晰标识。

6.1.4 每条光缆应保持完整，不应有中间接头，光缆布放完毕应及时进行光路衰减测试，检查光纤是否良好；光缆端头应做密封防潮处理，不应浸水。

6.1.5 铠装光缆的金属铠装层应两端接地；光缆在光纤配线架成端处，将金属构件用铜线引出，并应可靠接于一次地网。

6.1.6 电缆支架敷设的非铠装光缆应采用穿管或槽盒加以保护。

6.1.7 光缆的计算长度应包括实际路径长度与附加长度，附加长度宜计入下列因素：

1 光缆敷设路径地形等高差变化或迂回备用量；

2 光缆成端制作所需剥截光缆的预留段、备用段；

3 直接用于连接装置的预制光缆应考虑引至设备所需的长度。光缆到达目的地后，两端宜有“柜体高度＋1.5m”的富余量。

6.1.8 光缆余长宜收纳在柜体基础的进线空间内，预制光缆的尾纤余长宜收纳在柜体内部。

6.1.9 不同光缆之间的端部余长宜防止相互缠绕，均应按其允许的弯曲半径盘扎整齐，捆扎固定处应有明晰标识。

6.2 敷设方式

6.2.1 光缆敷设方式的选择应视工程条件、环境特点和光缆类型、数量等因素，以及满足运行可靠、便于维护和技术经济合理的要求选择。

6.2.2 站区内光缆不宜采用直埋方式敷设。

6.2.3 下列场所宜采用穿管敷设方式：

1 露出地坪以上须加以保护的光缆宜采用穿管；

2 光缆暗敷埋于地下宜采用穿管敷设；

3 室外电缆沟内非铠装光缆数量较少时宜采用穿管防护；

4 室内光缆数量较少时可采用穿管防护。

6.2.4 下列场所宜采用槽盒敷设方式：

1 室外非铠装光缆数量较多时宜敷设在槽盒内；

2 室内光缆数量较多时宜采用专用槽盒敷设；

3 双端预制非铠装光缆宜敷设在槽盒内。

6.2.5 光缆数量较多，开挖不便且光缆需分期敷设时，宜采用电缆沟。

6.2.6 铠装光缆与其他电缆在同一支（桥）架、槽盒同层叠置敷设时宜位于上部。

6.3 电缆沟敷设

6.3.1 光缆支架、槽盒的层间距离应满足方便地敷设光缆及其固定的要求，多根光缆置于同一层时，可更换或增设任意一根光缆，应满足下述规定：

1 光缆敷设于支架时，支架层间距宜大于120mm；

2 光缆敷设于槽盒中，支架层间最小间距为槽盒外壳高度＋90mm。

6.3.2 同一通道内光缆、电缆数量较多时，若在同一侧的多层支架上敷设，应满足下述规定：

1 光缆宜敷设于上层；

2 支架层数受通道空间限制时，铠装光缆或穿管保护的光缆可与1kV及以下电力电缆、控制电缆布置在同一层支架上；

3 同一层支架上，光缆和控制电缆可紧靠或多层叠置，与电力电缆之间宜有1倍电缆外径的空隙。

6.4 槽盒及保护管敷设

6.4.1 槽盒的规格尺寸应按线缆终期规模统计数量选择，截面利用率不宜超过80％。

6.4.2 槽盒转弯、爬坡、上下竖井等处宜圆角处理，曲率半径应大于光缆弯曲半径。

6.4.3 槽盒可采用阻燃型PVC槽盒或金属槽盒；当采用金属槽盒时，壳体应可靠接地。

6.4.4 槽盒内壁、拼接处及光缆进出槽盒开口处应无毛刺。

6.4.5 室内用的线缆槽盒顶部应有盖板，所有开孔处在敷设完毕后都应进行封堵。

6.4.6 室外用光缆槽盒宜为开放式结构，底部应有排水孔，防止槽盒内积水。

6.4.7 光缆保护管应采用阻燃型。

6.4.8 双重化配置的保护通道光缆不应敷设在同一根保护管道中。

7 光缆标识

7.1 一般规定

7.1.1 柜内的电缆、网线、光缆布局应合理规划，防止光缆布线过度拥挤，空间被占。

7.1.2 柜内光缆布线宜考虑后期光缆入柜需求，应预留光缆进出屏柜、连(熔)接装置空间。

7.1.3 光缆固定应远离发热设备，避免光缆老化。

7.2 光缆标识

7.2.1 光缆两端均应设置标识，以便于维护。标识应能完整反映光缆链路整体情况，便于故障排查。

7.2.2 光缆标识宜标明光缆编号、去向及规格。

7.2.3 光缆纤芯回路标号宜按照回路性质和用途区分，用于双套保护的光缆宜区分标识。

7.2.4 采用熔接方式的光缆纤芯应采用色谱标识，预制光缆的纤芯应采用数字或色谱标识。

7.3 柜内标识

7.3.1 光跳线端接点及配线设备处应设定跳线标识，宜包括跳线起点、终点端口信息。

7.3.2 室内光缆分支纤端接点应设定尾纤标识，宜包括尾纤编号、起点、终点端口信息。

7.3.3 光缆纤芯起点和终点宜由光缆所连接设备确定，起点和终点端口信息宜由装置名称及装置的背板插件号、端口编号或交换机端口号确定。

7.3.4 全站电气设备宜划分收发原则，保证光纤链路连接准确无误。

7.4 柜内布线

7.4.1 柜内跳线与尾纤布放应自然平直，不应扭绞、交叉，标签应清晰。

7.4.2 屏柜宜采用储纤装备收纳尾纤、跳线备用芯及余长，备用芯及余长在储纤装备内应分束捆扎，防止相互缠绕，并应有明确标识。

8 光缆防护

8.0.1 光缆防火应按现行国家标准《火力发电厂与变电站设计防火规范》GB 50229 执行。

8.0.2 光缆防雷接地应符合现行行业标准《电力系统通信站过电压防护规程》DL/T 548 的规定。

8.0.3 具有金属铠装的光缆应将金属铠装层两端接地，无金属外护套的光缆穿金属管敷设时，金属管两端应有接地处理。

8.0.4 用于敷设光缆的各段金属槽盒应可靠接地。

8.0.5 光缆穿保护管敷设时，保护管的两端应做防水封堵。

8.0.6 敷设光缆的电缆沟、保护管及槽盒等场所应采取措施，防止积水。

8.0.7 室外安装的光缆接续盒应密封良好，进出线孔应密封。

8.0.8 高寒地区应根据现行行业标准《层绞式通信用室外光缆》YD/T 901 的要求，定制 A 级或 B 级温度范围的光缆、跳线满足施工及运行时温度要求。

8.0.9 室外光缆安装温度范围宜为－15℃～50℃，安装前不宜在规定安装温度范围之外的环境中暴露 12h 以上。

8.0.10 室外光缆在－20℃低温下应能承受弯曲半径为 15 倍缆径的 U 形弯曲而不断裂，护套应无开裂。

本标准用词说明

1 为便于在执行本标准条文时区别对待，对要求严格程度不同的用词说明如下：

1）表示很严格，非这样做不可的：
正面词采用"必须"，反面词采用"严禁"；

2）表示严格，在正常情况下均应这样做的：
正面词采用"应"，反面词采用"不应"或"不得"；

3）表示允许稍有选择，在条件许可时首先应这样做的：
正面词采用"宜"，反面词采用"不宜"；

4）表示有选择，在一定条件下可以这样做的，采用"可"。

2 条文中指明应按其他有关标准执行的写法为："应符合……的规定"或"应按……执行"。

引用标准名录

《火力发电厂与变电站设计防火规范》GB 50229

《光缆总规范　第1部分:总则》GB/T 7424.1

《光缆总规范　第2部分:光缆基本试验方法》GB/T 7424.2

《电力系统通信站过电压防护规程》DL/T 548

《光纤配线架》YD/T 778

《层绞式通信用室外光缆》YD/T 901

《光纤终端盒》YD/T 925

《通信电缆光缆用无卤低烟阻燃材料》YD/T 1113

《室内光缆系列　第2部分:终端光缆组件用单芯和双芯光缆》YD/T 1258.2

《室内光缆系列　第4部分:多芯光缆》YD/T 1258.4

《光纤活动连接器》YD/T 1272

《用于光纤通道的光收发模块技术条件》YD/T 2005

中华人民共和国电力行业标准

电力工程厂站内通信光缆
设计规程

DL/T 5518—2016

条文说明

制 定 说 明

《电力工程厂站内通信光缆设计规程》DL/T 5518—2016，经国家能源局2016年12月5日以第9号公告批准发布。

随着国民经济和建设的不断发展，我国光缆应用技术得到迅速推广，许多新技术、新工艺和新材料正在得到广泛运用。本标准归纳总结了近年来我国电力行业厂站内光缆设计、施工和运行经验，通过调研、征求意见，认真落实安全可靠、经济合理、技术先进的原则，提出符合中国国情的、先进的、经济合理的光缆设计要求。

本标准在编制过程中充分收集电力行业标准化、信息化研究推广应用的成果，在分析和总结经验的基础上形成规定进行推广。本标准体现了以下几点：

(1)贯彻电力建设基本方针，在确保安全可靠的前提下，突出经济性、合理性和先进性；

(2)保证技术规定的覆盖性、标准性与协调性。做到内容完整、逻辑严谨 、结构清晰、用词简明、规定明确，同时与现行国家和行业相关标准协调统一；

(3)本标准充分总结吸收厂站内光缆设计、运行成果和经验。现阶段不成熟的新技术或有争议的内容没有纳入编制范围。

为便于广大设计、施工、科研、学校等单位有关人员在使用本标准时能正确理解和执行条文规定，编制组按章、节、条顺序编制了本标准的条文说明，对条文规定的目的、依据以及执行中需注意的有关事项进行了说明。但是，本条文说明不具备与标准正文同等的法律效力，仅供使用者作为理解和把握标准规定的参考。

目　　次

1 总　　则

1.0.2 站内通信光缆主要用于发电厂、变电站、换流站内控制、保护等系统网络通信、信息交换用光缆，不包括系统通信用导引光缆。

2 术　　语

2.0.1 预制光缆又称定制光缆，指出厂前就在光缆单端或双端预制光缆连接器的光缆。

3 光缆选择

3.1 一般规定

3.1.1 光通信信息发送端到信息接收端的完整物理连接往往由光缆、跳线以及光缆附件（如光纤配线单元）组合完成。根据发送端和接收端的位置不同，适用不同的连接方式。同一屏柜内部或同一房间不同屏柜之间宜采用光跳线或双端预制室内光缆，可不经光纤配线单元熔接，两端直接连接设备。对于距离较远的不同房间、一端或两端均为户外（就地配电装置到继电器小室或配电装置之间）的情况，考虑到光缆使用环境宜采用室外光缆。

3.1.2 始末端均在厂站围墙内的光缆，传输距离为数百米，采用多模光缆较为经济。G.651/A1b类纤芯为62.5/125μm，比50/125μm（A1a）传输距离近，但62.5/125μm应用经验较为丰富，可满足一般发电厂、变电站传输要求。但需注意采用850nm波长，传输距离较小，一般为260m，宜优先采用1300nm波长，传输距离较大，可达500m。根据国家电网公司和南方电网公司实际招标应用情况，本标准光纤衰减系数高于现行国家标准《光缆总规范　第1部分：总则》GB/T 7424.1的要求。

3.1.3 单模光缆传输距离可达数公里至数十公里。G.652（ITU国际电信联盟分类）/B1（IEC分类）类单模光缆在国内有丰富的应用经验，早先多采用G.652B类光缆，近年来逐渐统一为G.652D类。根据国家电网公司和南方电网公司实际招标应用情况，本标准光纤衰减系数要求高于现行国家标准《光缆总规范　第1部分：总则》GB/T 7424.1指标。

3.1.4 光缆损耗、成端损耗、熔接损耗构成的路径总损耗应小于两端光模块的（接收灵敏度-发射功率）的绝对值。各环节均需符合现行通信行业规范的规定。

3.2 光缆选型

3.2.2 敷设在室外的光缆采用层绞式，具有良好的抗冲击、抗压扁能力，同时绞合结构可以产生光纤结构余长，使光缆具有良好的拉伸能力；采用非金属加强构件的原因有两点：一是变电站场合因敷设距离短，非悬挂安装无须金属加强芯；二是避免电磁感应，导致金属加强构件发热，从而影响纤芯的传输效果和使用寿命。当室外光缆敷设在槽盒中时，槽盒兼具保护作用；当直接敷设在电缆沟内时，选用金属铠装可达到增加抗压能力和防鼠的效果。其选型主要参考现行行业标准《层绞式通信用室外光缆》YD/T 901。

3.2.3 室内多芯分支光缆使用灵活，可实现设备至设备的连接，其选型主要参考现行行业标准《室内光缆系列　第4部分：多芯光缆》YD/T 1258.4。

3.2.5 采用低烟无卤材料的护套在燃烧时，产生烟雾及毒气相对较少，有利于环保。

3.2.6 本条规定了室外光缆的抗拉、抗压能力。参考了《层绞式通信用室外光缆》YD/T 901—2009第4.3节表4中管道、非自承架空类别。

3.2.7 本条规定了室内多芯光缆的抗拉、抗压能力。变电站室内光缆一般作设备间直接连接，绝大部分为水平连接12芯以下，故参考了《室内光缆系列　第4部分：多芯光缆》YD/T 1258.4—2005第4.3节表4中水平布线用小于12芯的类别。

3.2.8 本条规定了光跳线用光缆的抗拉、抗压能力。目前站内一般采用2.0mm外径光跳线。参考了《室内光缆系列　第2部分：终端光缆组件用单芯和双芯光缆》YD/T 1258.2—2009第4.3节表3中Ⅱ类别。Ⅱ类别为单芯标称外径2.0mm或1.6mm～2.8mm的光缆。

3.3 光缆配置

3.3.1 光缆需要满足多套保护各自独立传输路径的要求。

3.3.2 在满足冗余保护各自独立传输路径的要求下,配电装置同一间隔内多个设备可采用1根光缆,通过光纤配线单元分配至对侧不同设备。

3.3.3 光缆48芯以内一般可全部满足单个间隔保护、测控、计量等要求。

3.3.5 光缆按间隔开列,对应的光纤配线单元宜按间隔配置。光纤配线单元宜满足冗余保护各自独立传输路径的要求。

3.3.6 光纤配线单元可多个间隔集中布置,特别是全厂站或某个继电器室内的所有设备均能在1面～2面光纤配线架内完成分配时。集中布置的光纤配线架称为集中光缆转接屏,屏内光纤配线单元布置要考虑安装和操作空间。

4 光缆附件

4.1 一般规定

4.1.1 单纯测试光缆性能并不满足工程应用中的实际需要，应以整体性测试考核光缆及其组件的整体衰减。

4.1.2 光缆附件无论室内还是室外一般布置在屏柜内，温度指标按电气屏柜耐受指标考虑。

4.1.3 光缆附件使用寿命和光缆保持一致，光缆的使用寿命一般要求为25年～30年。

4.1.4 光缆附件一般布置在屏柜内，防护等级按电气屏柜耐受的指标考虑。

4.2 选型与配置

4.2.1 光纤配线架(ODF)多用于通信行业。电气专业一般采用配置在屏柜内的光纤配线单元实现光缆纤芯的分配、连接。光纤配线单元(ODU)要求同ODF。

4.2.5 光纤配线单元采用标准12芯熔配一体化托盘，按照配线容量的不同，有1U(12芯)、2U(24芯)、3U(48芯)、5U(72芯)、6U(96芯)等规格供选择，目前常规光纤配线单元最大容量可达6U型96路，装配式变电站采用免熔接光纤配线单元等预制技术实现大量光缆熔接、分配，不限96路。

4.2.7 为避免光缆弯曲度频繁变化造成光缆损坏，光纤配线单元应避免安装在屏柜内、外门等活动位置。

4.2.9 光纤配线架(ODF)主要用于光纤通信系统中主干光缆成端和分配，电气专业近年采用集中光缆转接柜用于大量光缆、电缆的转接。集中转接柜要求同光纤配线架，结构有封闭式、半封闭式和敞开式三类。光纤配线架或集中转接柜应能灵活布置，适应装配式变电站的空间紧凑的环境要求。

4.2.10 常用的活动连接器类型有 ST、LC、SC 及 FC 等，均可实现设备接口的快速连接。考虑到机械性能及通用性，多模尾纤、光跳线用光纤活动连接器宜优先选用 LC 及 ST 接口，LC 接口体积小，能提高板卡接口密度，可成对组合安装减少插反。FC 型活动连接器适宜保护通道用单模光纤接口使用。

4.2.12 储纤盒又称存储单元，用于收储余长光纤、规范屏柜光纤走线。为避免重力拉拽影响，抽屉式机架储纤盒宜安装在柜内装置上方。绕纤筒式储纤盒的特点是收纳容量大。盒式储纤盒尺寸小安装灵活，可在光纤配线架中根据需要配置多个。

5 预制光缆

5.1 一般规定

5.1.1 多芯连接器预制光缆技术目前正在积累经验，包括双端预制和单端预制形式。实现跨场地、跨房间设备间的互联。活动连接器型预制光缆又称为预成端光缆，主要分为三种形式：第一种为单芯跳线形式，在屏柜内部使用；第二种为多芯尾缆形式，在室内屏柜间采用；第三种为一端为多芯连接器，另一端为多头单芯光纤活动连接器。

5.1.2 对于多芯连接器型预制光缆来说，由于多芯固定在同一个插头，很难保证多芯同时对准，结果是芯数越多，衰减越大；对于活动连接器型分支预制光缆，此种光缆多用于屏柜间设备互联，芯数过多时会造成一部分分支连接至屏柜上部，另一部分分支连接至屏柜下部，此时分支点位置和分支预留长度均不易选择。根据工程实践，预制光缆芯数不宜过多，选用4芯、8芯、12芯、24芯基本可满足厂站设计、运行需要。

5.1.3 光缆的使用寿命一般要求为25年～30年。预制光缆组件的整体寿命宜和光缆保持一致。

5.2 预制光缆选型

5.2.1 本章预制光缆主要指多芯连接器的预制光缆。室内预制光缆在通信行业早已采用，又被称为预成端光缆，即光跳线、尾缆等。电气行业在此基础上又开发出室外预制光缆，属于新技术范畴，即由多芯集成航空插头形式的预制光缆组件，用于室外设备与室内设备的连接。通过采用新型多芯连接器，使之具备室外长距离、复杂环境、恶劣条件下的施工可靠性与安全性。随着国内变电站领域的发展，预制光缆工艺进一步满足了更大芯数通信网络搭建的需要。故要求集成化连接，在同一个链路方向的插头内集成更多的芯数。

5.2.2 对于双端预制的多芯连接器型预制光缆，长度不够会造成光缆无法使用，长度过长造成柜内余长收纳困难，因此要精确测量所需长度并预留足够的收纳空间。

5.2.3 单端预制光缆即一端预制，另一端热熔接。一般场地施工环境恶劣，熔接较困难，单端预制一般推荐预制光缆场地侧预制，控制室侧熔接方式。由于预制多芯连接器航空插头体积较大，穿管较困难，故推荐采用单端预制形式。

5.2.4 一般大量光缆汇集于继电器室，所以应采用具有高强度防护性能、阻水、防鼠咬、阻燃和高环保性的通用光缆，并且在同等性能指标下优先选用轻量化、小外径、小弯曲半径的非金属加强型光缆，以降低施工、整理、维护工作量。

5.2.5 在光缆敷设及开柜门接线过程中可能会对预制光缆端连接器及插座的接触件造成损伤，或插合端进入杂物等影响连接器正常使用，因此需要配置防尘盖端，在连接前要带好防尘盖。

5.2.6 预制光缆在工厂加工制造，故光缆编号、长度、线号标识等均可提前实现，减少施工现场工作，缩短建设周期。

5.2.8 多芯连接器型预制光缆多用于室外设备与室内设备的连接，需要耐受长距离、复杂环境、恶劣条件下的施工环境，同时预制光缆工艺要满足更大芯数通信网络搭建的需要，故提出了较高的防护等级和耐受温度。

6 光缆敷设

6.1 一般规定

6.1.2 光缆允许的最小弯曲半径引自现行行业标准《层绞式通信用室外光缆》YD/T 901 的相关要求，同时也适用于室内光缆。

6.1.3 本条参考了现行国家标准《电力工程电缆设计规范》GB/T 50217 的相关规定。由于电力工程中光缆与电缆在同一电缆沟道内或桥架上敷设，线缆捆扎固定原则宜统一。

6.1.4 站内光缆敷设过程中如果发生光缆损伤，整根光缆需更换并重新敷设，不得采用接续盒的方式来修补损伤处。根据目前的调研结果，调试过程中常发生光缆纤芯因损伤而无法导通的现象；因此，对于室外长距离光缆，在敷设完毕后应及时进行光缆衰减测试，以免影响后续的调试工作；室外光缆敷设完毕后，光缆端头宜预先包扎，防止雨淋而浸水。

6.1.6 采用电缆沟支架敷设的非铠装光缆在敷设过程中易受损伤，因此需有防护措施；采用桥架或敷设在活动地板下，且路径上无其他铠装线缆通过时，也可不采取防护措施，如通信机房内。

6.1.7 经调研发现，部分工程二次光缆没有留有余长。考虑到光缆与电缆的连接方式不同，因线路间隔调整而换保护柜时，可能需要重新熔接光缆，所以光缆两端宜留有余长，以备后续再次熔接之用；预制光缆是在出厂前就已加工好的，为了保证长度满足现场实际需要，两端应留有余长。本条第 3 款中的 1.5m 是指分支器后尾纤的长度。

6.1.8 二次盘柜的光缆数量较多时，余长如果全部收纳到柜体内部，可能会影响柜内设备布置，同时也不美观；故除光跳线和尾纤可收纳到柜体内部以外，光缆余长宜收纳到柜体基础的进线空间内；柜体基础开孔尺寸应考虑留有足够的线缆容纳空间。

6.1.9 为了防止光缆弯折损伤，所有光缆余长不能杂乱地堆积到盘柜基础进线空间内，应分别盘扎整齐，有规律地摆放在预留空间内。

6.2 敷设方式

6.2.3 本条部分参考了现行国家标准《电力工程电缆设计规范》GB/T 50217 中的相关规定。穿管敷设通常为一对一方式，即一根光缆穿一根管；个别情况下，也可多根穿一根管，此时穿管截面的利用率应符合相关规定。露出地坪以上光缆主体部分应穿镀锌钢管防护，设备、附件引出部分或受路径条件限制不能使用镀锌钢管的部分可使用带铠装的波纹管进行防护；光缆暗敷埋于地下时，应采用穿镀锌钢管敷设；其他情况，可采用非金属阻燃性管材。

6.2.4 本条中的槽盒指浅槽盒，布置在电缆沟的支架上。双端预制的多芯非铠装光缆，其预端接的活动连接器直径较大，一般不适合于穿管敷设。

6.2.6 铠装光缆与电缆敷设在同一支架、桥架或槽盒内时，宜敷设在其他线缆上部，避免光缆遭受挤压。

6.3 电缆沟敷设

6.3.1 本条参考了现行国家标准《电力工程电缆设计规范》GB/T 50217 中的相关规定，所列数值为近期工程所采用的实践经验值。

6.3.2 通信行业光缆布线时要求与电力电缆保持一定距离，但在发电厂、变电站中不具备这一条件。厂站内线缆敷设路径是统一规划的，光缆不可避免地要与电力电缆、控制电缆敷设在同一通道内。此时，二次线缆宜与电力电缆之间根据抗电磁干扰能力的强弱依次排列。

6.4 槽盒及保护管敷设

6.4.1 本条中的槽盒指二次专用布线槽盒，用于敷设二次光缆、网线、电话线等弱电缆线。

6.4.2 槽盒的拐角处容易损伤光缆；尤其是金属槽盒，在敷设光缆时，须格外注意。

6.4.5 槽盒顶部加装盖板，才能形成完整的防护；所有开孔处可用防火材料进行封堵，防止小动物进入。

6.4.6 室外光缆具有较为完善的外护层，其机械性能远优于室内软装光缆，故所采用防护槽盒可无盖板。

6.4.8 保护通道光缆宜采用不同的敷设路径；当不具备条件时，非铠装型的保护通道光缆则应采用相互独立的保护管来防护。

7 光缆标识

7.1 一般规定

7.1.1 设备屏柜内除光缆外还有电缆、网线，应统一规划、避免其他线缆挤占光缆空间。

7.1.2 为避免厂站扩建时对柜内设备造成影响，柜内布线应按远景考虑光缆进出机柜的连接、熔接位置。

7.1.3 发热设备包括加热除潮装置、含大量光口的交换机和合并单元等。

7.2 光缆标识

7.2.2 光缆编号由字母及数字组成：字母表示安装单位或安装设备的名称，数字表示设备和回路序号及特征。光缆编号＝安装单位编号＋光缆去向编号。光缆去向编号与电缆去向编号原则相同，数字编号前加G表示该缆线为光缆。

7.2.3 光纤回路标号定义按照回路性质和用途区分，同时考虑信息分类及端口收、发定义。对于双网配置回路，标号后可以采用A、B或1、2作为网络识别；光纤回路标号尾字母标识回路收、发信属性，收信回路可定义为R，发信回路可定义为T。

7.2.4 光纤配线架端口宜结合光缆的色谱及光纤配线架的规格形式划分。光纤配线架接入光纤的色谱宜按1端～12端口排序严格对应，不足12芯时，色谱从1号起连续取用，可两根光缆接入同一层配线架。第一根光缆纤芯按色谱顺序接入对应端口，第二根光缆按色谱顺序接入余下的端口。标签框内注明端口号。

7.3 柜内标识

7.3.1 二次光纤回路标识主要采用光纤标签，统一的光纤标签可以快速、准确地找到该光纤具体的收发口位置。标识内容分为光缆编号、光缆信息、光纤起点名称、光纤终点名称、起点端口信息、终点端口信息等。

8 光缆防护

8.0.2 光纤对雷电冲击虽然不敏感，但雷电冲击会通过金属成分进入光缆，为避免高压导通、雷击等意外情况发生，厂站内光缆加强芯不宜选用金属加强型。

8.0.3 将光缆金属加强芯或铠装层接地与传输设备接地分开，当设置有专用的二次等电位接地网时，传输设备接地接到二次接地铜排，光缆金属加强芯或铠装层的接地单独拉到机柜的一次接地铜排上，并用截面积不小于 $35mm^2$ 的铜缆引到站内一次接地网。

8.0.6 光缆虽然阻水，但为防止长期浸泡造成受潮老化，应做好外部环境的排水措施防止积水。

8.0.8 室外光缆适用温度范围参考《层绞式通信用室外光缆》YD/T 901—2009 第 4.3 节表 6，其中分 A、B、C 三档，分别对应 −40℃、−30℃、−20℃，考虑到极端寒冷地区如东北、西藏、内蒙古等要求，取 A 档。据调研，蒙东电力公司舍伯吐变电站在冬季调试过程中，施工人员将户外智能控制柜门打开，柜内温度迅速降至−20℃，部分光纤光跳线出现冻断的情况，在二次设备厂家提供定制的耐低温光跳线后才完成调试。因此高寒地区应根据本地的气候情况，定制适用于低温环境的尾纤、跳线。

8.0.9 本条引自现行国家标准《光缆总规范　第 1 部分：总则》GB/T 7424.1。

工作温度范围是光缆最重要的环境指标之一，由于玻璃纤芯在温度变化时比较稳定，而外护套会因其材质热胀冷缩产生变形，造成光纤微弯等损坏，影响通信。电力工程建设区域广泛，气候条件不同，在阳光或冰冻等环境下，光缆可能工作于极端温度。需要考虑对异常天气的抵抗能力，所以工作温度范围应尽可能广泛。

在特定区域条件下，还需要采用特种光缆。光缆的机械性能和它的温度及其结构中所用的材料有关。通常PVC护套光缆不宜在低于0℃下安装，聚乙烯护套光缆可在低至－15℃下安装。大多数光缆的安装温度上限为50℃，光缆在安装前不宜在规定安装温度范围之外的环境中暴露12h以上。